LIVELLO 2 · A1/A2
1000 parole

COME HAI DETTO CHE TI CHIAMI?

Alessandra Pasqui

con illustrazioni di Giampiero Wallnofer

Letture Italiano Facile

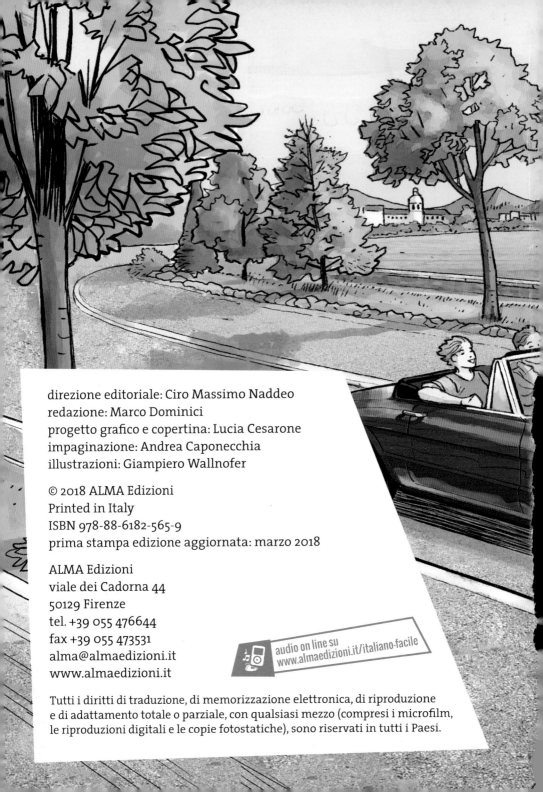

direzione editoriale: Ciro Massimo Naddeo
redazione: Marco Dominici
progetto grafico e copertina: Lucia Cesarone
impaginazione: Andrea Caponecchia
illustrazioni: Giampiero Wallnofer

© 2018 ALMA Edizioni
Printed in Italy
ISBN 978-88-6182-565-9
prima stampa edizione aggiornata: marzo 2018

ALMA Edizioni
viale dei Cadorna 44
50129 Firenze
tel. +39 055 476644
fax +39 055 473531
alma@almaedizioni.it
www.almaedizioni.it

audio on line su
www.almaedizioni.it/italiano-facile

INDICE

1. Un annuncio

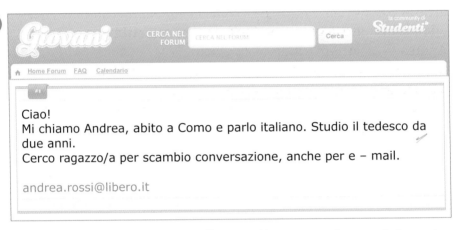

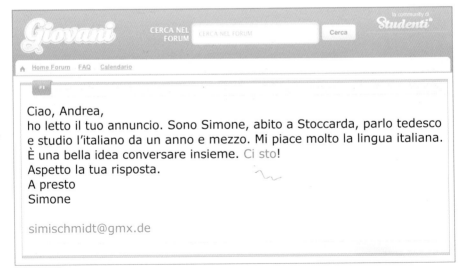

"Interessante questo annuncio" pensa Simone con lo smartphone in mano. È seduta su una panchina della verde Schlossplatz e mangia un gelato. L'annuncio di Andrea è su un sito online. Simone risponde subito.

▸ **note**

Ci sto • per me va bene *Andiamo al cinema? Ci sto!*

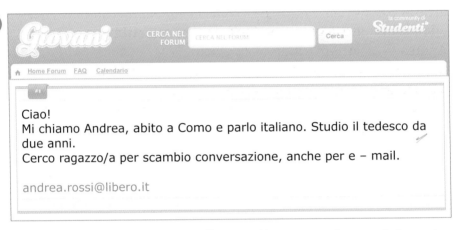

Ciao!
Mi chiamo Andrea, abito a Como e parlo italiano. Studio il tedesco da due anni.
Cerco ragazzo/a per scambio conversazione, anche per e – mail.

andrea.rossi@libero.it

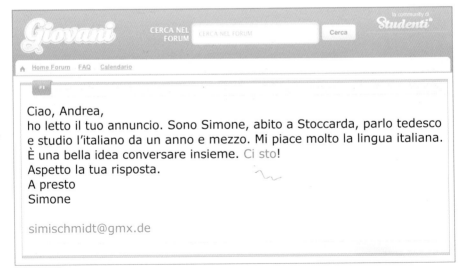

Ciao, Andrea,
ho letto il tuo annuncio. Sono Simone, abito a Stoccarda, parlo tedesco e studio l'italiano da un anno e mezzo. Mi piace molto la lingua italiana. È una bella idea conversare insieme. Ci sto!
Aspetto la tua risposta.
A presto
Simone

simischmidt@gmx.de

È una mattina di giugno e c'è il sole sul lago di Como.

Andrea si alza, fa la doccia e poi prepara il caffè con la sua vecchia moka.

È lunedì, ma non va a lavorare. Infatti Andrea lavora in un negozio di articoli sportivi del centro, che è chiuso il lunedì mattina. Per questo, quando di solito la gente comincia una nuova settimana di lavoro, Andrea può dormire a lungo.

Dopo la colazione, decide di andare al lago. È bellissimo nuotare quando non c'è ancora molta gente.

Torna a casa alle 11 e accende il computer. C'è una mail: una persona ha risposto al suo annuncio.

"Che bello" pensa, e risponde subito.

○ ○ ○   Nuovo messaggio

Invia   Chat   Allega   Rubrica   Font   Colori   Registra bozza

A: simischmidt@gmx.de

Ciao, Simone,

grazie della tua velocissima risposta!
Se sei d'accordo, possiamo scriverci una volta in italiano e una volta in tedesco, va bene?
Ora mi presento: ho 29 anni, lavoro in un negozio di articoli sportivi e infatti amo molto fare sport. Il mio sport preferito è il nuoto. Abito vicino al lago di Como e in estate mi piace molto nuotare. D'inverno invece vado a sciare in montagna. Ho anche altri hobby: mi piace il cinema, ascolto volentieri la musica e cucino spesso per gli amici.
Studio il tedesco per lavoro: infatti al negozio abbiamo molti clienti tedeschi e svizzeri.
E tu perché studi l'italiano?

A presto
Andrea

moka   nuotare

Simone sta mangiando un'insalata insieme a un'amica, in un piccolo ristorante del centro, quando il suo cellulare fa un "bip".

– Oh, c'è una mail. Scusa, controllo un attimo. – dice a Susi, la sua amica.
– Mi ha risposto una ragazza per la conversazione d'italiano!
– Conversazione? – chiede Susi.
– Sì, lo sai che faccio un corso da quasi due anni... Adesso vorrei scrivere a una persona di madrelingua. Ho trovato un annuncio su un sito Internet. Una ragazza di Como, si chiama Andrea, sembra simpatica.

Simone legge il nuovo messaggio di Andrea e lo traduce in tedesco all'amica.

– È una bella idea! – dice Susi.
– Quando torno a casa, le rispondo. Ma ora è tardi...
– Oh, sì, sono quasi le due... Anch'io devo tornare in ufficio.

Pochi minuti dopo Simone apre la porta dello studio di architettura dove lavora. Deve finire un progetto e ha ancora molto da fare.
A Simone piace il suo lavoro, ma oggi è proprio contenta quando arriva l'ora di andare a casa.

fai gli ESERCIZI
vai a pagina 44

---

note ◂

madrelingua • chi parla una lingua dalla nascita *Preferisco studiare inglese con un'insegnante madrelingua.*

2. Fare conoscenza

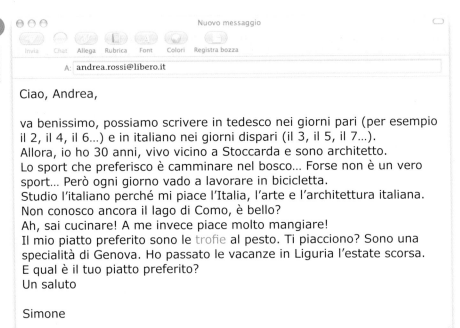

Ciao, Andrea,

va benissimo, possiamo scrivere in tedesco nei giorni pari (per esempio il 2, il 4, il 6...) e in italiano nei giorni dispari (il 3, il 5, il 7...).
Allora, io ho 30 anni, vivo vicino a Stoccarda e sono architetto.
Lo sport che preferisco è camminare nel bosco... Forse non è un vero sport... Però ogni giorno vado a lavorare in bicicletta.
Studio l'italiano perché mi piace l'Italia, l'arte e l'architettura italiana.
Non conosco ancora il lago di Como, è bello?
Ah, sai cucinare! A me invece piace molto mangiare!
Il mio piatto preferito sono le trofie al pesto. Ti piacciono? Sono una specialità di Genova. Ho passato le vacanze in Liguria l'estate scorsa.
E qual è il tuo piatto preferito?
Un saluto

Simone

Sono le 19:00 e Andrea sta lavorando nel negozio "Prontosport".
C'è una ragazza che cerca un paio di scarpe da tennis.

– Che numero? – le chiede Andrea.
– Il 38.

Andrea porta alcuni modelli di diversi colori. La donna prova le scarpe, ma non è contenta.
– Mmh... queste sono belle, ma un po' strette. Queste invece sono comode, ma il colore non mi piace. Avete qualcos'altro?
Andrea porta altri modelli, ma la ragazza trova sempre qualcosa che non va bene. Alla fine dice:

▶ note

trofie • pasta di forma allungata tipica della Liguria.

– Grazie, mi dispiace, ma non so... Che scarpe avete per il jogging?

Alle 19:30 finalmente il negozio chiude e anche la cliente esce.
Andrea è un po' stanco e non è molto soddisfatto della giornata di lavoro.
Torna a casa e per prima cosa apre il frigorifero. Ha dimenticato di fare la spesa e non c'è molto da mangiare: delle olive, qualche pomodoro, un po' di formaggio... Mette tutto sopra un piatto, prende del pane, apre una bottiglia di birra.
Mentre mangia, accende il computer e controlla la sua posta. Trova la mail di Simone e risponde.

Ciao, Simone,

come stai? Che giornata pesante oggi... Ho avuto clienti difficili, al negozio.
Buona l'idea dei giorni alterni per scrivere. Devo solo ricordare che giorno è! ; –)
Allora, mi chiedi qual è il mio piatto preferito. Beh, ci sono molte cose che mi piacciono. Amo molto la cucina indiana e quella thailandese.
Il piatto italiano che preferisco è la pizza. Sì, mi piace molto, la mangio ogni settimana quando esco con gli amici.
Tu fai l'architetto? Interessante!
Allora devi vedere quante ville antiche ci sono qui sul lago di Como.
E com'è Stoccarda? È una città tranquilla o vivace? E tu abiti in centro o in periferia?
Casa mia è un po' fuori dal centro, in una zona tranquilla.
Anch'io vado al lavoro in bicicletta, quando il tempo è buono. D'inverno invece prendo l'autobus.
Ora ti saluto perché è arrivato un mio amico e andiamo insieme in centro a fare un giro.

Ci sentiamo
Andrea

---

note ◄

alterni • ripetuti a intervalli *Devi prendere questa medicina a giorni alterni: uno sì e uno no.*

– Ehi, è tardi, sono quasi le nove... Hai finito di scrivere? – chiede
   Claudio, l'amico di Andrea.
– Sì, un momento... Ecco. Possiamo andare.
– Una mail di lavoro? Ho visto che hai scritto in tedesco – chiede
   ancora Claudio.
– Sì, in tedesco, ma non per lavoro. Faccio esercizio, scrivo a un
   ragazzo di Stoccarda, si chiama Simone. Facciamo conversazione
   un po' in italiano e un po' in tedesco. Oggi è il 30 giugno, quindi
   scriviamo in tedesco. Domani, primo luglio, scriviamo in italiano.
– Che organizzazione!
– Eh, beh, i tedeschi sono bravi a organizzare le cose!
– Un ragazzo, hai detto? E perché non hai scelto una ragazza? Non è
   più interessante?
– Scherzi? Anna è troppo gelosa! – dice Andrea.

I due giovani ridono insieme e vanno in città.
Verso le 23:00 Andrea torna a casa.
Prima di andare a dormire controlla ancora la sua posta elettronica:
però non ci sono nuove mail.

fai gli ESERCIZI
vai a pagina 46

3. Un nuovo giorno

Ore sei del mattino, piove un po' a Stoccarda; Simone si alza e va a fare la doccia di malavoglia, perché fa freddo. Poi prepara la colazione: un tè verde, un po' di frutta con lo yogurt, un uovo, pane e burro. Prima di uscire accende il computer e risponde alla mail di Andrea.

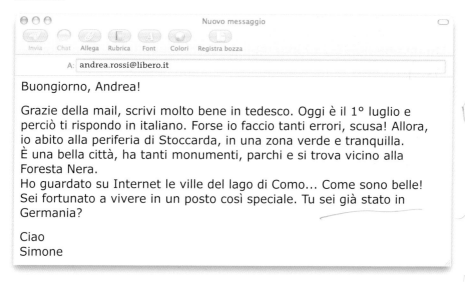

Nuovo messaggio

Invia   Chat   Allega   Rubrica   Font   Colori   Registra bozza

A: andrea.rossi@libero.it

Buongiorno, Andrea!

Grazie della mail, scrivi molto bene in tedesco. Oggi è il 1° luglio e perciò ti rispondo in italiano. Forse io faccio tanti errori, scusa! Allora, io abito alla periferia di Stoccarda, in una zona verde e tranquilla. È una bella città, ha tanti monumenti, parchi e si trova vicino alla Foresta Nera.
Ho guardato su Internet le ville del lago di Como... Come sono belle! Sei fortunato a vivere in un posto così speciale. Tu sei già stato in Germania?

Ciao
Simone

Alle 7:30 la sveglia suona in camera di Andrea.
Si alza e poi prende il solito caffè. Sul cellulare c'è un messaggio registrato alle 2:35 del mattino.
"Ciao, amore. Scusa... è molto tardi, ma non ho potuto chiamare prima... Scusa, questo fine settimana non posso venire da te.
Devo ancora studiare molto per l'esame di anatomia. A presto!
Un bacio." Il messaggio è di Anna, la ragazza di Andrea. Lei frequenta l'università a Bologna e negli ultimi tempi studia molto.
Andrea non la richiama, sa che lei studia la notte e si alza tardi la mattina. Invece scrive a Simone.

___

note ◄

di malavoglia • malvolentieri, senza voglia *Giulia è andata a lavorare di malavoglia.*

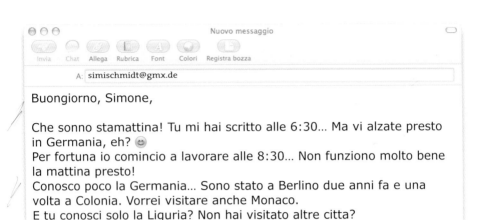

A: simischmidt@gmx.de

Buongiorno, Simone,

Che sonno stamattina! Tu mi hai scritto alle 6:30... Ma vi alzate presto in Germania, eh? 😊
Per fortuna io comincio a lavorare alle 8:30... Non funziono molto bene la mattina presto!
Conosco poco la Germania... Sono stato a Berlino due anni fa e una volta a Colonia. Vorrei visitare anche Monaco.
E tu conosci solo la Liguria? Non hai visitato altre citta?

Ciao
Andrea

A: andrea.rossi@libero.it

Ciao, Andrea,

eh sì, io mi alzo presto la mattina e arrivo in ufficio alle 7:30...
Oh sì, Berlino è una città molto vivace e interessante. Io in Italia ho visto la Liguria. Perché parli di Monaco? Monaco è vicino a Nizza, no?

A: simischmidt@gmx.de

Ciao, Simone

Vicino a Nizza? Ah... tu parli del Principato di Monaco! Noi in Italia diciamo "Montecarlo". No, io parlo di Monaco di Baviera...
La città dell'Oktoberfest!

A: andrea.rossi@libero.it

Ahahahah! Oggi ho imparato una cosa nuova: in italiano Montecarlo e Monaco non sono la stessa cosa!! 😊
Ora ti saluto, sono arrivata in ufficio.
S.

P.S. Ti piace la birra?

A: simischmidt@gmx.de

Sì, moltissimo. E a te?

Per questo vorrei andare a Monaco! Ma anche qui da noi ci sono birre di buona qualità.

A: andrea.rossi@libero.it

Come no! Ma preferisco il vino italiano. ;–)
Buona giornata
S.

fai gli ESERCIZI
vai a pagina 48

▶ note

Come no • sì, certo *Ti piace la pizza? Come no!*

13

4. Qualcosa non va

– Perché non ci prendiamo un po' di tempo tutto per noi e facciamo un viaggio insieme? – chiede Simone a Robert. È domenica, ma lui lavora sul suo laptop.

– Scusa? Hai detto qualcosa?

– Ho detto che vorrei partire con te e stare un po' insieme, lontano dal lavoro e...

Robert si toglie gli occhiali.

– Amore, lo sai che devo finire questo progetto prima della metà di luglio. Devi avere un po' di pazienza... ti prometto che...

– Sì, sì, certo. Pazienza, pazienza, come sempre. Sono sicura che subito dopo arriva un nuovo progetto! Dici sempre così... Non facciamo mai niente insieme...

– Dai, Simone, non dire così! Adesso sono qui, no?

– Sei a casa mia, è vero, ma non sei davvero qui! Ieri sera hai lavorato fino a tardi... Quando sei venuto a dormire?

– Non lo so... Verso le due, credo.

– Così non possiamo andare avanti, Robert.

– Scusami, vieni qui – dice lui e la abbraccia. – Lo sai, il mio lavoro è così... Andiamo a fare una passeggiata al parco, vuoi?

Gli spaghetti sono quasi pronti e in cucina c'è un buon odore.
La domenica Andrea ha più tempo per cucinare. In forno c'é una torta salata.

Poi accende il computer e trova la mail di Simone.
"Che giorno è oggi?" si chiede. "Ah, il 6 luglio... Allora oggi scrivo in tedesco".

Come hai detto che ti chiami?

A: simischmidt@gmx.de

Ciao, Simone,
che caldo in questi giorni!
Per fortuna in negozio c'è l'aria condizionata.
Sai che scriverti mi sta aiutando davvero con il tedesco?
Con i clienti va meglio... Anche se a volte non è facile. Come sai, ci sono
tante parole che sono simili e invece vogliono dire cose completamente
diverse...
Beh, comunque l'importante è capirsi, alla fine, no?
Che fai di bello?
È un po' che non ci sentiamo.

Ciao
Andrea

A: andrea.rossi@libero.it

Ciao, Andrea,
scusa ma ho avuto un po' di problemi al lavoro e non solo... È un
periodo un po' difficile. Qui piove spesso e l'estate non vuole arrivare.
Da te fa già caldo? Che fortuna!
E poi penso di avere bisogno di una vacanza.
Vorrei venire in Italia, ma ho pochi giorni liberi. Como è la città più
vicina e la zona è molto bella.
Ho visto che in treno da Stoccarda a Como ci vogliono più o meno 7
ore. È un viaggio lungo, ma a me piace il treno: posso leggere un libro,
il giornale, lavorare al mio laptop, mangiare... Allora, siccome posso
prendere qualche giorno di vacanza la settimana prossima, ho pensato
di visitare la tua città. Forse ci possiamo incontrare, che ne dici?

Ciao
Simone

▶ note ────────────────────────────────────

più o meno • circa *Questa macchina non è vecchia, ha più o meno due anni.*
siccome • poiché *Siccome viaggia spesso, gli voglio regalare una valigia.*

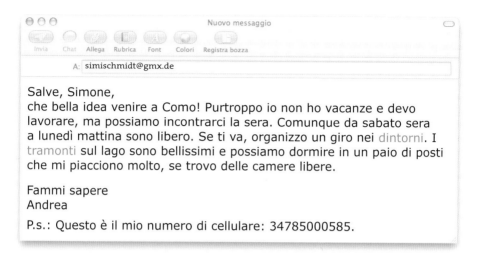

Salve, Simone,
che bella idea venire a Como! Purtroppo io non ho vacanze e devo lavorare, ma possiamo incontrarci la sera. Comunque da sabato sera a lunedì mattina sono libero. Se ti va, organizzo un giro nei dintorni. I tramonti sul lago sono bellissimi e possiamo dormire in un paio di posti che mi piacciono molto, se trovo delle camere libere.

Fammi sapere
Andrea

P.s.: Questo è il mio numero di cellulare: 34785000585.

La risposta di Simone arriva immediatamente dopo, ma in italiano.

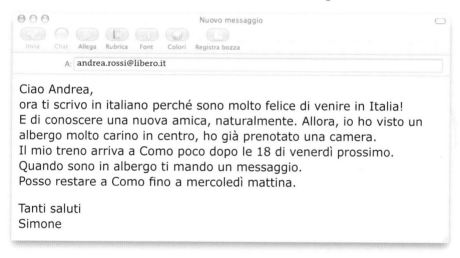

Ciao Andrea,
ora ti scrivo in italiano perché sono molto felice di venire in Italia!
E di conoscere una nuova amica, naturalmente. Allora, io ho visto un albergo molto carino in centro, ho già prenotato una camera.
Il mio treno arriva a Como poco dopo le 18 di venerdì prossimo.
Quando sono in albergo ti mando un messaggio.
Posso restare a Como fino a mercoledì mattina.

Tanti saluti
Simone

Andrea legge la mail di Simone e pensa: "Uhm... strano, perché ha scritto 'una nuova amica'? Forse ha fatto un po' di confusione con la grammatica. Vabbè, non ha importanza. Ora però è tardissimo, devo andare... Rispondo questa sera."

---

note ◄

dintorni • le zone vicine *Firenze è molto bella, ma sono belli anche i dintorni.*
tramonto • momento della sera quando il sole scende e il cielo ha un colore rosso-arancione. *Stasera il cielo è sereno e c'è un tramonto meraviglioso sul mare!*
Vabbè • forma colloquiale per "va bene" *Chiara non è di Firenze, è di Siena. – Vabbè, sempre in Toscana, no?*

È Lunedì. Simone è in ufficio ed è di buon umore. Robert passa a trovarla durante la pausa pranzo.

L'agenzia pubblicitaria dove lui lavora non è lontana. La saluta con un bacio.

– Ciao, come stai?

– Bene, e tu?

– Sai, ho pensato a quello che mi hai detto, a proposito di noi...

– E allora?

– Hai ragione. Ho parlato con il mio capo e gli ho detto che voglio una settimana di ferie. Lui mi ha risposto che va bene, alla fine di settembre. Che ne dici?

– Davvero? Sei sicuro?

– Ma sì, certo.

– Non come l'ultima volta, l'anno scorso... Ricordi? Dopo due giorni sei tornato a Stoccarda in aereo e mi hai lasciato da sola a Creta.

– No, Simone, questa volta sono stato chiaro. Deve darmi una settimana tutta intera.

– E dove andiamo?

– A metà settembre devo andare a Barcellona, per un lavoro. Quando ho finito, tu puoi venire e così restiamo lì una settimana.

– Okay, però io questo venerdì ho deciso di andare via qualche giorno da sola.

– Ah... E dove vai?

– A Como.

– In Italia?

– Sì.

– Allora... Parti senza di me.

– Robert, ho bisogno di una vacanza. Non prendo le ferie da quasi un anno. Non posso aspettare la fine dell'estate. E poi sono contenta di conoscere la mia nuova amica italiana.

▶ note

di buon umore • contento, allegro *Quando arriva sabato, siamo tutti di buon umore.*

Hai ragione • quello che dici è vero, sono d'accordo *Hai ragione tu, però preferisco fare a modo mio.*

ferie • vacanze *Ho preso due giorni di ferie prima del weekend.*

– Ah, è vero, mi hai parlato di lei... La ragazza che studia il tedesco...
Quanti anni ha?
– Ventinove.
– Beh, hai ragione, fai bene. Com'è ?
– Non lo so, non ho mai visto una sua foto.
– Allora sarà una sorpresa.
– Sì, non vedo l'ora di incontrarla. È gentile, simpatica... Lavora in un
negozio di sport. E poi ha detto che le piace cucinare: così potrò
assaggiare qualche piatto veramente tipico.
– Bene, poi devi raccontarmi tutto. Adesso però scusami, devo
tornare al lavoro.

"Eh già, certo" pensa Simone un po' triste. Partire con Robert...
sembra una missione impossibile. Però... alla fine di settembre, una
settimana intera... Sembra quasi un sogno.
Alla sera rientra a casa, da sola. C'è una mail per lei.

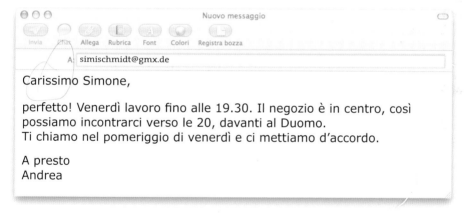

A: simischmidt@gmx.de

Carissimo Simone,

perfetto! Venerdì lavoro fino alle 19.30. Il negozio è in centro, così
possiamo incontrarci verso le 20, davanti al Duomo.
Ti chiamo nel pomeriggio di venerdì e ci mettiamo d'accordo.

A presto
Andrea

Qualcosa nella mail di Andrea le sembra strano... Ma non sa bene
che cos'è. Simone sorride e pensa al prossimo viaggio, la tristezza
scompare.

Che cosa c'è di strano nella mail di Andrea?
Perché Simone è perplessa?

fai gli ESERCIZI
vai a pagina 49

note ◄

non vedo l'ora • sono felice, non posso aspettare *Domani iniziano le vacanze, non vedo l'ora!*
assaggiare • provare *Non hai mai mangiato la pizza? La devi assaggiare!*

5. In viaggio

traccia 5

È venerdì mattina e Simone controlla la sua valigia. Le previsioni del tempo per il Nord Italia sono abbastanza buone, per questo ha preso vestiti leggeri.

– Vediamo se ho preso tutto... La guida turistica, la crema solare, lo spazzolino da denti, il pigiama, la spazzola per i capelli... E un piccolo regalo per Andrea.
Poi mette in borsa il suo tablet e un libro da leggere in treno.
– Allora, adesso è il momento di partire!

Esce in strada e sente un po' freddo. Allora pensa al sole e sorride.
Alla stazione compra un panino per il viaggio, qualcosa da bere e un giornale. Il treno arriva puntuale. Trova posto accanto al finestrino e comincia a leggere il suo libro.
Dopo un'ora di viaggio, apre la sua borsa e cerca il suo smartphone.
"Strano" pensa "ma dov'è?"
Poi si ricorda: oh no, è rimasto sul tavolo della cucina!
"Adesso come faccio con Andrea? Io non ho il suo numero con me!"
Poi si ricorda dell'appuntamento in piazza del Duomo alle ore 20.
"Forse non è difficile... Vediamo!"

Andrea sta cercando due alberghi: il primo per la notte tra sabato e domenica e il secondo per la notte tra domenica e lunedì. Vuole portare Simone a vedere non solo i posti più famosi e caratteristici del lago, ma soprattutto quelli più segreti, che sulle guide turistiche non ci sono.
È contento di avere un nuovo amico, con una cultura e abitudini diverse dalle sue.

▶ note

spazzolino da denti

Cerca su Internet... Ricorda che vicino a Varenna c'è un bed and breakfast in una piccola villa, con vista sul lago. Telefona.

– Buongiorno, Bed and breakfast "La Lucia".
– Salve, vorrei un'informazione: avete due camere singole per questo fine settimana?
– Vuol dire per la notte tra sabato e domenica?
– Sì, esatto.
– Un momento... No, mi dispiace, abbiamo solo una doppia. Ma è una camera molto grande e possiamo preparare due letti.
– È la camera con la grande terrazza?
– Sì, esatto, la vista sul lago è bellissima. Ma Lei è già stato da noi?
– Sì, un anno fa, è una camera molto bella... Ma sì, va bene. Sono con un amico, la doppia non è un problema. La prenoto.
– A che nome?
– Andrea Rossi.

Poi controlla sul suo telefono se ci sono messaggi. Nella lista dei contatti ha memorizzato il numero di Simone. C'è anche il suo profilo: nella foto si vede un uomo con gli occhiali da sole che abbraccia una ragazza. Hanno un aspetto felice. Tutti e due hanno i capelli chiari.
"Però, che bella la ragazza di Simone!" pensa.

fai gli ESERCIZI
vai a pagina 51

6. A Como

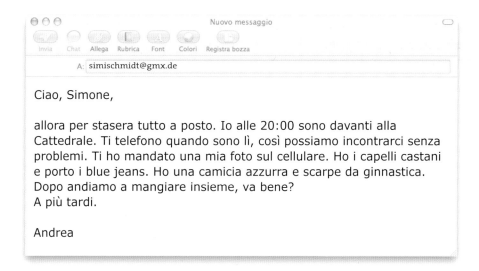

Il tempo passa e alle 18:00 Simone arriva a Como. Il suo albergo non è lontano, si trova in una piccola strada del centro storico.

– Buongiorno – dice alla reception dell'albergo – ho prenotato una camera... Il mio nome è Schmidt.
– Sì... Abbiamo una prenotazione, il signor Simone Schmidt.
– Signora Simone Schmidt – corregge la ragazza.
– Ah... mi scusi. D'accordo... – dice il receptionist. – Ecco la chiave: è la camera 12. Primo piano.

La camera è molto carina. Ha un piccolo balcone con vista sul lago. Simone trova un biglietto con il codice wifi e collega il suo tablet. C'è un messaggio di Andrea.

⊖ ⊖ ⊖			Nuovo messaggio			◯
Invia	Chat	Allega	Rubrica	Font	Colori	Registra bozza

A: simischmidt@gmx.de

Ciao, Simone,

allora per stasera tutto a posto. Io alle 20:00 sono davanti alla Cattedrale. Ti telefono quando sono lì, così possiamo incontrarci senza problemi. Ti ho mandato una mia foto sul cellulare. Ho i capelli castani e porto i blue jeans. Ho una camicia azzurra e scarpe da ginnastica. Dopo andiamo a mangiare insieme, va bene?
A più tardi.

Andrea

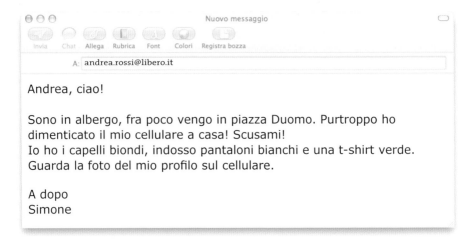

Andrea, ciao!

Sono in albergo, fra poco vengo in piazza Duomo. Purtroppo ho dimenticato il mio cellulare a casa! Scusami!
Io ho i capelli biondi, indosso pantaloni bianchi e una t-shirt verde.
Guarda la foto del mio profilo sul cellulare.

A dopo
Simone

Simone fa una doccia e si veste. Poi esce dall'albergo: sono le 19:20.

– Scusi! – chiede a un signore – Per andare alla Cattedrale...
   È lontano?
– No, da qui sono 10 minuti. Lei va dritto e poi prende la seconda
   strada a sinistra. Arriva a una piazza, la attraversa e continua
   dritto. Alla prima strada gira a sinistra e trova la cattedrale.
– Ah, grazie...
– Di niente! Buonasera!

"Speriamo bene... Non ho capito niente... Povera me." pensa Simone.
"Vediamo un po', ha detto che devo andare dritto... e poi c'è una via...
La seconda a sinistra... no, a destra... Ecco. E ora? Oh no! Ho perso la
strada!"
Allora chiede informazioni a un altro signore, poi a un altro e
finalmente arriva in piazza Duomo.
Sono già le 20:10 e in piazza ci sono molte persone. Andrea ha letto
la mail di Simone e sta aspettando. Lui cerca tra la gente un ragazzo
con i capelli biondi, pantaloni bianchi e maglietta verde, ma non lo
trova.
Anche Simone cerca Andrea... Ecco, forse è quella ragazza: ha i capelli
castani, una camicetta celeste... Ma non porta i blue jeans... Ah, no,
forse è quella! Blue jeans, una t-shirt azzurra... no, ha i capelli biondi.

Ecco, forse è quella donna: blue jeans, maglietta azzurra...Non è una camicia. E poi la donna ha le scarpe con il tacco alto.

"Oh no, sono arrivata troppo tardi... Lei è andata via! – pensa Simone.

"Ma guarda un po', e poi dicono che i tedeschi sono puntuali...
Ma dov'è questo Simone?" pensa Andrea.

Poi, davanti alla porta del Duomo, Simone vede un giovane uomo con i capelli castani, una camicia azzurra, i jeans e le scarpe da ginnastica.

È un ragazzo molto carino. Sta aspettando qualcuno.

Andrea vede una ragazza bionda davanti a lui.

"Strano." Ripensa alla descrizione di Simone: "Capelli biondi, maglietta verde, jeans bianchi..." E poi guarda un attimo sul cellulare la foto del profilo di Simone.

– Ehm... scusa – chiede lei – mi chiamo Simone e ho un appuntamento qui con una persona... una ragazza... vestita come te.

– Anch'io sto aspettando qualcuno... Ma tu sei... la ragazza di Simone, il mio amico di Stoccarda! – dice Andrea incredulo.

– No, sono io Simone! – dice lei – Simone in Germania è un nome da donna!

– Eh? Ma... in Italia è un nome da uomo!

– E tu, allora, ti chiami veramente...?

– Andrea!

– In tedesco Andrea è un nome femminile!

– Che situazione assurda!

I due cominciano a ridere.

– Non è possibile... Per tutte queste settimane ho pensato di scrivere a una ragazza.

– E io a un ragazzo!

– Questa è davvero buffa! E ora?

– Andiamo a cena! – dice Andrea.

"Che occhi belli", pensa Simone.

 fai gli ESERCIZI
vai a pagina 52

▶ note

incredulo • che non crede a qualcosa *Sono incredulo: davvero Sara ha detto questo?*
assurda • strana, illogica *Oggi è il 23 novembre ma fa caldo come a luglio... che cosa assurda!*
buffo • che fa ridere *Il nonno di Eva racconta sempre storie buffe e divertenti.*

– Carino qui! – dice Simone mentre si siede al tavolo dell'osteria. È un locale rustico e alla moda.

– Senti, come parliamo insieme? In tedesco o in italiano? – chiede Andrea.

– Beh, siamo in Italia, parliamo in italiano! Quando vieni in Germania, parliamo in tedesco.

– D'accordo!

– Senti, ti ho portato un piccolo regalo da Stoccarda, ma penso che... forse non è adatto – e dà un pacchetto ad Andrea.

– Ma grazie, sei gentile! Che cos'è?

Apre il pacchetto e dentro trova un braccialetto d'argento.

– Mi dispiace, forse è un po'... femminile. Lo ha fatto una mia amica che ha un laboratorio a Stoccarda.

– È bello!

– Beh, forse puoi regalarlo a un'amica...

Ma Andrea lo mette subito.

– Non è femminile. Mi piace. Grazie!

Il cameriere porta i menu. Simone legge la lista e poi chiede ad Andrea:

– Non capisco... Puoi aiutarmi? Che cosa sono i 'missultin'?

– Sono piccoli pesci di lago essiccati, molto saporiti.

– Ah... E il tomino?

– È un formaggio.

---

note ◄

rustico • di campagna, non raffinato *Mi piace vivere in campagna, ma non in una villa moderna; preferisco una casa rustica.*
braccialetto ⚬⚬⚬⚬⚬⚬⚬▬▬▬⚬⚬⚬⚬⚬⚬

laboratorio • officina dove si fanno lavori artigianali, atelier *Mia zia lavora in un laboratorio di ceramica..*
essiccati • secchi *A me piacciono molto i pomodori essiccati.*

– Uhm... Quante cose buone... per cominciare vorrei un'insalata mista. Ma non la trovo in questo menu...
– Non la trovi perché non è un antipasto, ma un contorno. In Italia l'insalata si mangia insieme al secondo.
– Ah, è vero... Senti, e la piccata che cos'è?
– È carne di vitello.
– Ah, ho capito! Ora mi ricordo! La piccata alla milanese, carne fritta con farina e uovo, si mangia con gli spaghetti al pomodoro!
– Scherzi?
– Ehm... nei ristoranti italiani in Germania è questa la piccata... la servono con la pasta...

Andrea è un po' perplesso.

– Beh, no, veramente qui la piccata non ha l'uovo e si mangia con un contorno di verdure o dell'insalata, o con le patatine fritte!
– Oh, ma allora è tutto diverso...
– Forse è buona anche la vostra...
– Ma non è un piatto tipico italiano, allora! È bello avere un italiano che mi spiega il menu.

Alla fine della cena, fanno una passeggiata lungo il lago, poi Andrea accompagna Simone al suo albergo.

– Domani voglio scoprire tutto su questa bella città. Ancora grazie della compagnia.
– La sera passo a prenderti alle 20. Andiamo a scoprire le bellezze del lago, va bene? Porta il necessario per passare due giorni fuori.
– Che bello! E dove andiamo?
– Un po' in giro, conosco tanti posti... Ti va?
– Ma certo!
– Allora a domani!

Andrea dà un bacio sulla guancia a Simone.
"Che buon profumo" pensa lui.

fai gli ESERCIZI
vai a pagina 54

perplesso • incerto, dubbioso *Secondo Fabio la notizia è vera, ma io sono un po' perplesso.*

guancia

8. In giro per Como

traccia 8

Simone beve un aperitivo seduta al tavolo di un bar poco lontano dalla Basilica di San Fedele. È un po' stanca ma felicissima. Ha visitato la Cattedrale, il tempio Voltiano , ha passeggiato lungo le vie del centro, ha ammirato la bellezza del lago... In un negozio ha comprato un vestito azzurro. E soprattutto si sente libera senza lo smartphone. Adesso è ora di tornare all'albergo, fare una doccia, prepararsi e incontrare Andrea.

Andrea ha finito adesso di lavorare, ma prima di uscire dal negozio telefona alla sua ragazza.

– Pronto, Anna? Amore?

– Pronto... ciao, Andrea. Come stai?

– Bene, tu? Ti chiamo da ieri ma non hai mai risposto al telefono.

– Ah sì... sono stata fuori con degli amici, compagni di università. Forse non ho sentito.

– Ah, hai festeggiato, allora l'esame di anatomia è andato bene!

– Sì, ho preso 25. Oggi mi riposo un po', ma da domani ricomincio... speriamo bene!

– Bene, meno male. Ma quando vieni? Non ci vediamo da quasi un mese...

– Hai ragione... Uhm... Senti, forse potrei venire questa sera e stare una notte... Che ne dici?

– Stasera non posso.

– No? Domani allora?

– Ehm... neanche... Sai, è venuto qui un mio amico dalla Germania...

– Chi? Quell'amico tedesco che ti scrive?

– Sì, esatto, Simone – risponde Andrea abbastanza imbarazzato – poi ti racconto tutto la prossima settimana, quando ci vediamo, va bene?

---

note ◄

Voltiano • dedicato ad Antonio Volta, inventore italiano.

25 • in Italia i voti negli esami universitari vanno da 18 a 30.

imbarazzato • confuso, in difficoltà *Quando sto vicino a una persona importante, sono sempre un po' imbarazzato.*

– Eh no, la prossima settimana non posso io. Ho l'ultimo esame...
– Posso venire io da te...
– No, c'è mia sorella...
– Okay, allora ci sentiamo. Mi dispiace...
– È un periodo un po' difficile.
– Già.

Puntuale alle 20:00 Andrea arriva sotto l'albergo di Simone. Dopo pochi secondi lei apre il portone ed esce.

– Ciao! – gli dice con un bacio sulla guancia.
– Ciao... ma che bel vestito! – dice lui.
– Ti piace? L'ho comprato proprio oggi.
– Ti sta benissimo...
– Allora, dove andiamo?
– Ho parcheggiato la macchina poco lontano da qui. Vieni, andiamo.

fai gli ESERCIZI
vai a pagina 56

9. Il fine settimana può cominciare

traccia 9

La macchina di Andrea è una vecchia Alfa Romeo cabriolet rossa. Viaggiano sulle strade sopra il lago, con il vento fra i capelli.

– Hai fame? – chiede Andrea.
– Un po'. Ma ho preso un aperitivo un'ora fa.
– Nel posto dove andiamo cucinano piatti semplici ma molto buoni. Ancora qualche minuto e siamo arrivati.

È quasi notte e la terrazza del ristorante sul lago ha un panorama suggestivo.

– Hai ragione, tutto è buonissimo, qui. – dice Simone, mentre beve ancora un po' di vino bianco freddo. – Dove andiamo dopo?
– A Varenna, non è lontano da qui. Ho prenotato un bed and... Oh, no!
– Che c'è?
– Simone, abbiamo un problemino.
– Quale?
– Quando ho telefonato all'albergo, mi hanno detto che hanno soltanto una camera doppia. Ho pensato che non è un problema dormire insieme a un amico...

Simone comincia a ridere.

– Non è un problema, dai!
– Davvero? Sei sicura?
– Ma certo. Non ho paura di te! – e continua a ridere.

---

note ◄

suggestivo • affascinante, che dà emozione *Paola parla del suo paese sempre in modo suggestivo e pieno di passione.*

problemino • piccolo problema *Perché non vuoi smettere di fumare? Non è un problemino, è una cosa molto seria.*

Andrea diventa un po' rosso in viso.

– Scusami, io...
– Dai, andiamo a vedere questa camera. Sono un po' stanca, è stata una giornata intensa.

Dopo dieci minuti arrivano al bed and breakfast, una villa di colore rosa poco lontana da Varenna. Una signora elegante li riceve.

– Oh, signor Rossi, io al telefono ho capito "una camera con due letti", giusto? Lei mi ha parlato di un amico.
– Giustissimo, sì. Però c'è stato un... piccolo cambiamento di programma, ma i due letti vanno bene. Grazie.
– Ecco la chiave... Buonanotte... – dice la signora con un sorriso.

Dopo che Andrea ha chiuso, Simone comincia di nuovo a ridere.

– Beh, sono contento che ti diverti! Ho fatto proprio una brutta figura, vero?
– Ma no, cosa dici! – dice Simone – Ora uso io il bagno, dopo tocca a te. Va bene?
– D'accordo. Poi spegniamo la luce e andiamo in terrazza.
– Perché spegnere la luce?
– Per le zanzare! Sai, i piccoli, simpatici insetti...
– D'accordo, faccio in un attimo.

Andrea esce sulla terrazza. Il cielo è sereno e c'è la luna. Simone arriva poco dopo.

– Bellissimo. Così tranquillo qui... E romantico!
– Già. Adesso tu pensi che io ho fatto tutto questo per stare in camera insieme a te, ma...
– Andrea, non parliamo più di questo. Ti dispiace dormire qui con me?
– Ma no, che dici!
– Allora, tutto a posto. Buonanotte!

fai gli ESERCIZI
vai a pagina 58

---

note ◄

intensa • molto piena *Sono stanchissima, oggi al lavoro è stata una giornata molto intensa.*

zanzara

brutta figura • cattiva impressione *All'esame ho fatto un brutta figura: non ho risposto a nessuna domanda!*

Come hai detto che ti chiami?   33

10. A colazione

– Come hai dormito stanotte? – chiede Andrea a Simone.

– Benissimo! E tu?

– Sì, anch'io!

– Buongiorno, signori, qui c'è il buffet della colazione. Che cosa vi porto? Caffè, tè...? – chiede la signora del bed and breakfast.

– Un cappuccino per me. – dice Simone.

– Per me un caffè, grazie.

– Simpatica la signora Lucia. – dice Simone.

– Chi?

– Lucia. Non si chiama così questa pensione? Non è la signora di prima?

– Ah, no! La Lucia è il nome di una barca tipica del lago di Como. Una barca antica, di legno, lunghissima, quasi 6 metri.

– Mamma mia, comincio ad avere seri problemi con questi nomi italiani... Lucia è il nome di una barca?!

– Sì, ma prende il nome da Lucia Mondella, la protagonista di un famoso romanzo dell'Ottocento, "I promessi sposi", di Alessandro Manzoni.

– Sai un sacco di cose tu!

– Ma no... In Italia anche i bambini conoscono questo libro... e devono leggerlo tutti a scuola.

– È difficile?

– Beh, sì, un po'...

– Forse quando torno in Germania allora lo leggo in tedesco. È romantico?

– Molto. – sorride Andrea. – È la storia di due innamorati che vogliono sposarsi ma non possono, perché c'è un altro uomo, potente e molto cattivo, che vuole avere la ragazza per sé...

– Mmh... intrigante. Voglio proprio leggerlo.

▶ note

barca

un sacco • molte (aggettivo)
Alla festa di domani vengono
un sacco di persone.

intrigante • interessante
Questo libro è veramente
intrigante.

Poi vanno al buffet e prendono cornetti, pane, burro e marmellata, yogurt, formaggio e una fetta di torta di mele.

– Oggi dove andiamo?
– Voglio farti conoscere dei posti un po' segreti... Ma naturalmente anche qualche villa famosa.

E così visitano i dintorni di Varenna, tanti piccoli paesi con panorami bellissimi, poi l'isola Comacina.

Verso sera, vanno verso la montagna, dove li aspetta un piccolo agriturismo.

– E qui le camere sono due! – dice Andrea.
– Ah sì? Peccato! – scherza Simone.

Mangiano una cena a base di formaggi e salumi e altri piatti tipici della zona.

– Che buono... Impossibile trovare posti così senza una persona del posto, come te. – dice Simone. – Ma mi piacerebbe anche provare la tua cucina. Una volta mi hai scritto che ti piace cucinare...
– Va bene, domani mattina torniamo a Como e la sera, dopo il lavoro, vengo a prenderti e mangiamo a casa mia.
– Benissimo. Io porto il vino e compro il dessert in una pasticceria che ho visto sabato...
– Perfetto.
– Che bella vacanza! È proprio divertente con te.
Andrea sorride.
– Anche con te. Mi sento in vacanza anch'io.
– Vivi da solo?

---

note ◄

agriturismo • una casa o una villa di campagna che dà ospitalità a turisti *Quest'anno non voglio andare in un albergo, preferisco un agriturismo.*
Peccato • mi dispiace, non sono contenta *La vacanza è finita, stasera torniamo a casa... Peccato!*
salumi • salame, prosciutto, salsicce...

– Sì. La mia ragazza è di Ancona ma abita a Bologna, studia medicina all'università. E tu?

– Anch'io abito da sola. Il mio ragazzo... Beh, è una storia un po' complicata.

– Racconta.

– Lo conosco da un anno e mezzo. Lui è sposato, ma vuole chiedere il divorzio. Con la moglie non ha più niente in comune... Due persone che vivono nello stesso appartamento e basta.

– Capisco.

– E poi ha sempre molto lavoro. È un creativo, lavora in un'agenzia pubblicitaria...

– E tu sei contenta?

– Beh... Veramente non lo so.

– La vita non è semplice...

– Eh, no. E tu sei contento? Della tua vita, del tuo lavoro? – domanda Simone.

– Dipende... Qualche volta vorrei cambiare. Per esempio, lavorare nel settore del turismo.

– Oh, ma sì, è adatto a te, sei molto bravo!

– Lo pensi davvero?

– Ma certo! Io sono una turista tedesca molto... molto...

– ...Molto?

– Come si dice quando una persona vuole il meglio e non è contenta facilmente?

– Si dice 'esigente'.

– Ecco, sì: sono molto esigente. E finora sono molto soddisfatta del tour!

Il proprietario dell'agriturismo comincia a mettere in ordine i tavoli. È tardi, tutti i clienti sono andati a dormire. Anche Simone e Andrea si alzano e vanno alle loro camere.

– Buonanotte, a domani. – dice Andrea.

fai gli ESERCIZI
vai a pagina 59

▶ note

divorzio • fine del matrimonio *Dopo il divorzio, non ha visto sua moglie per tre anni.*

finora • per adesso, fino a questo momento *Lavoro da due anni in Germania e finora non ho avuto nessun problema.*

traccia 11

– Ciao, Andrea. – lo saluta la proprietaria del negozio alle 15. – In magazzino ci sono le nuove scarpe da trekking; per favore, vai a prenderle. Poi dobbiamo mettere i prezzi e...

È difficile oggi tornare al lavoro. Poche ore fa ha portato Simone all'albergo e si sono dati appuntamento là per la sera.
Pensa alla cena che vuole preparare per lei... Vuole fare bella figura.
Ha già comprato le verdure, il pane fresco, le olive, i formaggi...
Finalmente arrivano le 19:30.
Esce dal negozio e va all'albergo di Simone. Sono le 19:45, ma lei non c'è. Aspetta davanti all'entrata un quarto d'ora... Ma Simone non arriva. Purtroppo il suo cellulare è scarico e non può controllare se ci sono mail di Simone.
Allora entra in albergo e va alla reception.

– Mi scusi, ho un appuntamento con una vostra cliente, la signora Simone Schmidt...
– Il Suo nome, prego? – dice il receptionist.
– Andrea Rossi.
– Un momento prego... No, la signora non c'è, ha lasciato l'albergo questo pomeriggio.
– Come? È partita?
– Sì, esatto.
– Ma... ha lasciato un messaggio per me?
– Non lo so, io ho cominciato il mio turno alle 18. Un attimo, chiamo il mio collega.

Il receptionist fa una telefonata.

– Mi dispiace, non riesco a trovare il mio collega. Ma se viene domani mattina, può parlare direttamente con lui. Si chiama Antonio.

Andrea esce dall'albergo e corre a casa sua.
Per prima cosa accende il computer e controlla la sua posta
elettronica.

Quando Simone arriva a casa sua, sono le 23.
Trova il suo cellulare sul tavolo della cucina. Ci sono molte chiamate
senza risposta, ma anche sms e messaggi vocali.
"È stato così bello questo viaggio" pensa. "Felice e senza pensieri...
Ma è finito. E ora questo..." pensa con tristezza.
È preoccupata.
Nel pomeriggio, a Como, sul suo tablet ha infatti trovato una mail
di Susi, la sua migliore amica. Robert, il suo ragazzo, ha avuto un
incidente con la moto. Per questo è partita in fretta.
Adesso è tardi, non può andare in ospedale e nemmeno telefonare.
Apre la valigia, poi si prepara per la notte e mette la sveglia alle
6:00.
Ma non riesce a dormire. Il tempo, questa notte, non passa mai.

Alle 8:00 Andrea entra nell'albergo.

▶ note _____

urgente • importante e improvvisa *Il dottore ha ricevuto una chiamata urgente alle due
di notte ed è corso all'ospedale.*

– Buongiorno. – gli dice il receptionist – Desidera?
– Mi chiamo Andrea Rossi. Una vostra cliente, Simone Schmidt ieri...
– Ah sì, signor Rossi, solo un momento, prego.

Esce e va in un'altra stanza. Poi torna con un sacchetto.

– Ha lasciato questo per Lei.

Andrea è di nuovo in strada. Il sacchetto è pesante.
Apre e trova una bottiglia e un pacchetto. Lo apre: ci sono biscotti
ricoperti di cioccolato, a forma di cuore.
C'è anche un biglietto.
"Andrea, è stato un fine settimana bellissimo. Grazie di tutto.
Scusami. Simone"

Alle 8:00 Simone entra all'ospedale di Stoccarda. Si siede in sala di
attesa e prende una rivista. Dopo mezz'ora arrivano altre persone.
C'è un uomo nervoso che cammina avanti e indietro; una donna
seduta accanto a una bambina, una signora anziana che legge il
giornale. Alle 8:55 Simone non ha più pazienza e va alla reception.

– Mi scusi, potrebbe dirmi dov'è ricoverato il signor Robert Müller?
– Lei è una parente?
– No, ma...
– L'orario delle visite è alle 9:00.
– Sì, lo so, ma sono le nove meno cinque... Può dirmi il numero della
  camera?
– E va bene. Come hai detto che si chiama?
– Robert Müller. Ha avuto un incidente con la moto due giorni fa.
– Un attimo, vediamo... Sì, è al terzo piano, camera 324. Ma deve
  aspettare, adesso c'è il dottore.
– Grazie.

---

sacchetto

parente • persona di famiglia *No, Elisa non è la mia fidanzata,
ma una parente.*

note ◄

Simone va al terzo piano. Cerca la camera. La trova.
Fuori dalla stanza c'è una donna con un bambino molto piccolo.
Poi esce il dottore.

– Signora Müller. – dice alla donna con il bambino – Suo marito sta
   meglio. Dopodomani può tornare a casa. E tu, piccolo, sei contento
   di rivedere il tuo papà?

Il bambino sorride felice. I due entrano in camera e chiudono la
porta. Simone ha visto per la prima volta la moglie e il figlio di
Robert. Pensa: "Questa è la sua famiglia. Cosa faccio io qui?
Voglio davvero continuare a stare con Robert?"

Simone è sola, nel corridoio. Poi passa un'infermiera e le domanda:

– Signora, cerca qualcuno? Posso aiutarla?

Simone non la sente.

– Signora? Tutto bene? Ha bisogno di aiuto?

– Che... che cosa? No, grazie. Io... ho fatto un errore. Proprio un grande
errore. Mi scusi.

Scende velocemente le scale ed esce dall'ospedale. I suoi occhi sono
pieni di lacrime.

fai gli ESERCIZI
vai a pagina 61

▶ note

infermiera    lacrime

12. Autunno

Simone non ha più scritto ad Andrea. È triste, si sente molto stupida e non ha voglia di vedere nessuno.

Neanche Andrea ha cercato Simone. Ha aspettato inutilmente un messaggio o una telefonata da parte di lei.
"Peccato, però." pensa spesso Andrea "Peccato, perché con lei è stato bello." Anna, la sua ragazza, non è più venuta a Como. Ha sempre qualcosa da fare, un esame, troppo da studiare.
Forse Bologna è più interessante, chissà. Forse ha già un altro ragazzo...
E così l'estate è finita, comincia il brutto tempo e i giorni tornano ad essere tutti uguali: il lavoro, lo sport, i soliti amici, mangiare, dormire, e di nuovo lavorare...
Ogni tanto pensa ancora a Simone. Forse ha sbagliato a non chiamarla più.
Ha controllato ancora il profilo di lei sul suo account, nello smartphone. Non c'è nessuna fotografia, da mesi.
Si chiede spesso che cosa è successo, se lei sta bene.
O è stato tutto un sogno? Un bel sogno, sì, ma con un brutto risveglio.
Porta ancora il braccialetto d'argento.

E poi quella mattina, 20 novembre, un giorno come tanti.
Andrea esce di casa, giaccone pesante e ombrello perché piove e fa freddo.

---

chissà • chi sa, non so *Paolo non è ancora arrivato, chissà che problema ha avuto, questa volta.*

giaccone • giacca pesante per l'inverno *Hai messo il giaccone? Oggi fa molto freddo!*

Cammina lungo la strada che porta al negozio e dal cellulare che ha in tasca sente arrivare un "bip". Un messaggio da un numero sconosciuto.

Dice solo:

"Questa sera, ore 20:00, davanti alla Cattedrale. Pantaloni neri e giaccone azzurro. Lo so, sono in ritardo di 4 mesi... Comunque sono lì e ti aspetto. Ti aspetterò tutta la sera."

Andrea apre le braccia, chiude gli occhi e lascia cadere la pioggia sul viso. Sorride.

FINE

Come continua?
Adesso scrivi tu la continuazione della storia!

fai gli ESERCIZI
vai a pagina 63

1 • Vero o falso?

	V	F
1. Simone abita in Germania.	☐	☐
2. Andrea fa sport per lavoro.	☐	☐
3. Andrea studia il tedesco nel tempo libero.	☐	☐
4. Susi è un'amica di Simone.	☐	☐
5. Simone lavora per un sito internet.	☐	☐

2 • Completa con le preposizioni.

| per | a | di | da | in |

Ciao! Mi chiamo Andrea, abito ___ Como e parlo italiano.
Studio il tedesco ___ due anni. Lavoro ___ un negozio ___ articoli
sportivi. Cerco ragazzo/a ___ scambio conversazione.

3 • Unisci le parti delle frasi.

☐ a. Il negozio di articoli sportivi   1. in uno studio di architettura.

☐ b. Simone lavora   2. decide di andare al lago.

☐ c. Dopo colazione Andrea   3. da un anno e mezzo.

☐ d. D'inverno Andrea   4. è chiuso il lunedì mattina.

☐ e. Simone studia l'italiano   5. va a sciare in montagna.

4 • Completa il testo con le parole della lista.

caffè   annuncio   sole   negozio

doccia   colazione   settimana

È una mattina di giugno e c'è il _____ sul lago di Como.

Andrea si alza, fa la _____ e poi prepara il _____

con la sua vecchia moka. È lunedì, ma non va a lavorare. Infatti

Andrea lavora in un _____ di articoli sportivi del centro,

che è chiuso il lunedì mattina. Per questo, quando di solito la gente

comincia una nuova _____ di lavoro, Andrea può dormire

a lungo. Dopo la _____, decide di andare al lago.

È bellissimo nuotare quando non c'è ancora molta gente.

Torna a casa alle 11 e accende il computer. C'è una mail: una persona

ha risposto al suo _____.

"Che bello" pensa, e risponde subito.

✎ Il lago di Como

È uno dei laghi più grandi e importanti d'Italia. Si trova in Lombardia ed è famoso soprattutto perché qui è ambientato il primo romanzo della letteratura italiana, conosciuto e studiato da tutti gli studenti delle scuole: "I promessi sposi". Il lago ha una forma di Y capovolta e Como è la città più grande che si affaccia sulle sue acque. Il lago di Como è una meta turistica importante nel Nord Italia, e ogni anno vengono visitatori da tutto il mondo.

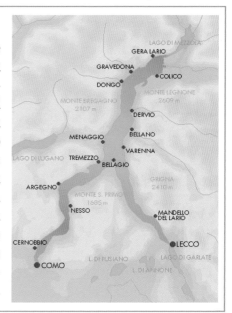

1• Indica l'opzione corretta.

1. Simone e Andrea decidono di scriversi:
   ☐ a. lei in tedesco, lui in italiano.
   ☐ b. tutti e due solo in italiano.
   ☐ c. un giorno in italiano, un altro in tedesco.

2. Simone è stata in Italia?
   ☐ a. Sì, una volta.
   ☐ b. No, mai.
   ☐ c. Sì, spesso.

3. Andrea la sera
   ☐ a. va a fare la spesa.
   ☐ b. mangia quello che ha in casa.
   ☐ c. mangia in un fast food.

4. Qual è il piatto italiano preferito di Andrea?
   ☐ a. le trofie al pesto.
   ☐ b. gli spaghetti.
   ☐ c. la pizza.

2• Qual è il contrario? Collega gli aggettivi come nell'esempio.

☐ a. pesante   1. moderno
☐ b. stretto   2. leggero
☐ c. pari   3. brutto
☐ d. comodo   4. difficile
☐ e. stanco   5. scomodo
☐ f. facile   6. vivace
6 g. tranquillo   7. largo
☐ h. bello   8. dispari
☐ i. antico   9. riposato

3 • Completa il testo con i verbi della lista al presente indicativo.

| aprire | | prendere | | mettere | | aprire | | mangiare |

| controllare | | tornare | | accendere |

[Andrea] _____ a casa e per prima cosa _____ il frigorifero. Ha dimenticato di fare la spesa e non c'è molto da mangiare: delle olive, qualche pomodoro, un po' di formaggio...

*(Lui)*_____ tutto sopra un piatto, _____ del pane, _____ una bottiglia di birra.

Mentre _____, _____ il computer e _____ la sua posta.

4 • Inserisci le informazioni nella colonna giusta.

| ama la pizza | | studia l'italiano | | ha 30 anni | | ama nuotare |

| ama il cinema | | ama cucinare | | ama camminare |

| ama le trofie al pesto | | ha 29 anni |

| va in bicicletta | | studia il tedesco |

SIMONE	ANDREA

1 • Vero o falso?

	V	F
1. Andrea ha una ragazza.	☐	☐
2. Simone vuole andare a Nizza.	☐	☐
3. La ragazza di Andrea studia la notte.	☐	☐
4. Simone si alza tardi la mattina.	☐	☐
5. Ad Andrea piace la birra.	☐	☐

2 • Inserisci nel testo le parole della lista.

tranquilla	fortunato	periferia	monumenti	errori	ville

Forse io faccio tanti _____, scusa! Allora, io abito
alla _____ di Stoccarda, in una zona verde e
_____. È una bella città, ha tanti
_____, parchi e si trova vicino alla Foresta Nera.
Ho guardato su Internet le _____del lago di Como...
Come sono belle! Sei _____a vivere in un posto così
speciale.

3 • Completa le frasi con i verbi al passato prossimo.

1. Simone (*essere*) _____ _____ in Italia una volta.
2. Andrea (*essere*) _____ _____ in Germania due
   volte.
3. Andrea (*andare*) _____ _____ a Colonia e a
   Monaco di Baviera.
4. Simone (*andare*) _____ _____ in Liguria.

1 • Completa le frasi con l'opzione corretta.

1. Robert e Simone
   ☐ a. lavorano insieme.
   ☐ b. fanno due lavori diversi.

2. Simone decide di andare a Como
   ☐ a. in treno.
   ☐ b. in aereo.

3. Simone pensa di restare in Italia
   ☐ a. più di una settimana.
   ☐ b. meno di una settimana.

4. Robert vuole andare con Simone
   ☐ a. a Barcellona.
   ☐ b. a Como.

2 • Completa il testo con i verbi al passato prossimo o al presente.

Ora ti *(scrivere)* _____ in italiano perché *(essere)*
_____ molto felice di venire in Italia!
E di conoscere una nuova amica, naturalmente. Allora, io *(vedere)*
_____ un albergo molto carino in centro,
(prenotare) _____ già _____ una camera.
Il mio treno *(arrivare)* _____ a Como poco dopo le
18 di venerdì prossimo. Quando *(essere)* _____ in
albergo ti *(mandare)* _____ un messaggio. *(Potere)*
_____ restare a Como fino a mercoledì mattina.

3 • Simone non sa che Andrea è un ragazzo. Correggi il dialogo e cambia desinenze, articoli e pronomi dal femminile al maschile dove necessario, come nell'esempio.

– Robert, ho bisogno di una vacanza. Non prendo le ferie da quasi un anno. Non posso aspettare la fine dell'estate. E poi sono contenta di conoscere la mia nuova amica italiana.	*il mio nuovo amico italiano*
– Ah, è vero, mi hai parlato di lei... La ragazza che studia il tedesco... Quanti anni ha?	
– Ventinove.	
– Beh, hai ragione, fai bene. Com'é?	
– Non lo so, non ho mai visto una sua foto...	
– Allora sarà una sorpresa.	
– Sì, non vedo l'ora di incontrarla. È gentile, simpatica... Lavora in un negozio di sport. E poi ha detto che le piace cucinare: così potrò assaggiare qualche piatto veramente tipico.	
– Bene, poi devi raccontarmi tutto. Adesso però scusami, devo tornare al lavoro.	

1 • Vero o falso?

	V	F
1. Simone ha dimenticato a casa lo smartphone.	☐	☐
2. Andrea cerca due alberghi.	☐	☐
3. Andrea prenota una camera matrimoniale.	☐	☐
4. La camera è piccola.	☐	☐
5. Andrea ha il numero di cellulare di Simone.	☐	☐

2 • Rimetti in ordine il dialogo.

☐ a. Sì, esatto, la vista sul lago è unica.

1 b. Buongiorno, Bed and breakfast "La Lucia".

☐ c. Vuol dire per la notte tra sabato e domenica?

☐ d. Un attimo... No, mi dispiace, abbiamo solo una doppia.
Ma è una camera molto grande e possiamo preparare due letti.

☐ e. Sì, esatto.

☐ f. Salve, vorrei un'informazione: avete due camere singole per
questo fine settimana?

☐ g. È la camera con la grande terrazza?

3 • Collega le parti delle frasi.

☐ a. Le previsioni del tempo   1 che abbraccia una ragazza.

☐ b. Simone mette in valigia un libro   2 per questo fine settimana?

☐ c. Nella foto si vede un uomo   3 sono abbastanza buone.

☐ d. Andrea controlla sul suo telefono 4 da leggere in treno.

☐ e. Avete due camere singole   5 se ci sono messaggi.

1• Scegli l'opzione giusta.

1. L'albergo di Simone
☐ a. è nella piazza della Cattedrale.
☐ b. è vicino alla Cattedrale.
☐ c. è accanto alla casa di Andrea.

2. Andrea ha i capelli
☐ a. biondi.
☐ b. castani.
☐ c. neri.

3. Simone arriva all'appuntamento in Piazza Duomo
☐ a. puntuale.
☐ b. prima delle 20:00.
☐ c. in ritardo.

4. Andrea è vestito con
☐ a. una camicia azzurra, blue jeans e scarpe sportive.
☐ b. una maglietta verde e i blue jeans.
☐ c. una maglietta azzurra, pantaloni bianchi e scarpe da tennis.

2• Completa le frasi con le preposizioni.

a. La camera ha un piccolo balcone con vista _____ lago.
b. Io alle 20:00 sono davanti _____ Cattedrale.
c. Ti ho mandato una mia foto _____ cellulare.
d. Ho una camicia azzurra e scarpe _____ ginnastica.
e. Dopo andiamo _____ mangiare insieme, va bene?

3 • Completa i testi con le parole della lista.

| gira | dritto | lontano | attraversa | sinistra |

– Scusi! – chiede a un signore – per andare alla Cattedrale...
   È _____ ?
– No, da qui sono 10 minuti. Lei va _____ e poi prende la
   seconda strada a _____ . Arriva a una piazza, la
   _____ e continua dritto. Alla prima strada _____
   a sinistra e trova la cattedrale.
– Ah, grazie...
– Di niente! Buonasera!

🔖 La Cattedrale di Como

Dove si incontrano Andrea e Simone? Darsi appuntamento nella
piazza del Duomo (Duomo e Cattedrale significano la stessa cosa) è
un'abitudine comune in molte città italiane, perché di solito la
Cattedrale è in pieno centro e davanti ha un grande spazio dove ci
sono anche bar e ristoranti. La Cattedrale di Como ha una facciata
del 1400 e la piazza si chiama "broletto", una parola del dialetto
medievale del Nord Italia che significa "spazio aperto".

1 • Scegli l'opzione giusta.

1. Andrea e Simone vanno a cena in

☐ a. un ristorante elegante.
☐ b. una pizzeria.
☐ c. un locale semplice.

2. Andrea e Simone decidono di parlare

☐ a. solo in tedesco.
☐ b. solo in italiano.
☐ c. a pranzo in tedesco, a cena in italiano.

3. Simone ha portato un regalo per Andrea:

☐ a. un braccialetto.
☐ b. un libro.
☐ c. un dolce tedesco.

4. L'insalata mista in Italia è

☐ a. un primo piatto.
☐ b. un antipasto.
☐ c. un contorno.

✎ Ristorante, trattoria o osteria?

In Italia è possibile mangiare in un ristorante, in un'osteria, in una trattoria, o in una pizzeria. In pizzeria mangiamo soprattutto pizza, mentre ristorante, osteria e trattoria hanno spesso differenze per il menu o per lo stile. Il ristorante è un posto  generico dove mangiare e bere; la trattoria e l'osteria sono locali molto simili, ma l'osteria inizialmente è nata come locale solo per bere e rimane ancora un posto dove è possibile anche soltanto bere qualcosa in compagnia.

Un'osteria italiana

2 • Completa il cruciverba.

Orizzontali

3 Simone viene dalla...

5 Hotel in italiano.

7 Simone regala ad Andrea un...

8 Andrea e Simone fanno una.... lungo il lago.

Verticali

1 Porta il menu.

2 In Italia l'insalata
   è un....

4 In Italia Simone è
   un nome....

6 Andrea porta Simone
   a mangiare in una....

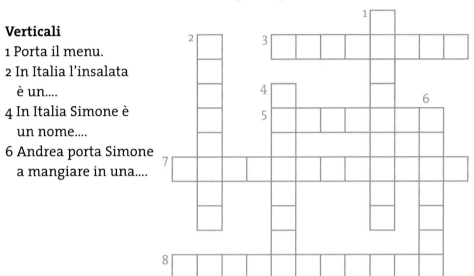

3 • Completa il dialogo con i verbi della lista.

| conosco | passo | va | voglio | andiamo |

- Domani _____ scoprire tutto su questa bella città.
  Ancora grazie della compagnia.
- La sera _____ a prenderti alle 20. _____ a scoprire le
  bellezze del lago, va bene?
- Che bello! E dove andiamo?
- Un po' in giro, _____ tanti posti... Ti _____?

1• Vero o falso?

	V	**F**
1. Simone ha visitato Como.	☐	☐
2. Anna ha chiamato Andrea più volte.	☐	☐
3. Anna ha superato il suo esame.	☐	☐
4. Andrea e Anna decidono di vedersi la prossima settimana.	☐	☐
5. Andrea ha comprato un vestito per Simone.	☐	☐

2• Completa il testo con i verbi al passato prossimo.

Simone beve un aperitivo seduta al tavolo di un bar poco lontano
dalla Basilica di San Fedele. È un po' stanca ma felicissima. *(visitare)*
_____ la Cattedrale, il tempio Voltiano,
(passeggiare) _____ lungo le vie del centro,
(ammirare) _____ la bellezza del lago...
In un negozio *(comprare)* _____ un vestito azzurro.
E soprattutto si sente libera senza lo smartphone.
Adesso è ora di tornare all'albergo, fare una doccia, prepararsi e
incontrare Andrea.
Andrea *(finire)* _____ adesso di lavorare, ma prima
di uscire dal negozio telefona alla sua ragazza.

3 • Rimetti in ordine il dialogo.

☐ 1 a. Pronto, Anna? Amore?
☐ b. Ah, hai festeggiato, allora l'esame di anatomia è andato bene!
☐ c. Ah sì, sono stata fuori con degli amici, compagni di università. Forse non ho sentito.
☐ d. Bene, e tu? Ti chiamo da ieri ma non hai mai risposto al telefono.
☐ e. Pronto... ciao, Andrea. Come stai?
☐ f. Sì, ho preso 25.

4 • Completa il testo con le parole della lista.

| allora | portone | vestito | macchina | bacio |

Puntuale alle 20.00 Andrea arriva sotto l'albergo di Simone. Dopo pochi secondi lei apre il _____ ed esce.
– Ciao! – gli dice con un _____ sulla guancia.
– Ciao... ma che bel _____ ! – dice lui.
– Ti piace? L'ho comprato proprio oggi.
– Ti sta benissimo...
– _____ , dove andiamo?
– Ho parcheggiato la _____ poco lontano da qui. Vieni, andiamo.

🖉 **Alessandro Volta e il tempio Voltiano**

Alessandro Volta (1745-1827), è l'inventore della pila, è nato a Como. Cento anni dopo la sua morte, nel 1928, la sua città lo ha voluto ricordare con un monumento in memoria della sua attività di scienziato e fisico: il tempio voltiano raccoglie e conserva gli oggetti, le carte e tutto ciò che si riferisce ad Alessandro Volta ed è il museo più visitato della città. Qui è possibile vedere gli strumenti di lavoro di Volta e conoscere più da vicino la sua opera. Alessandro Volta, infatti, non ha inventato soltanto la pila, ma prima ancora ha anche scoperto il metano, uno dei gas più importanti per l'energia del nostro pianeta.

Una pila

1• Scegli l'opzione giusta.

1. Andrea ha un'auto
   ☐ a. nuova.
   ☐ b. rossa.
   ☐ c. tedesca.

2. Andrea ha prenotato una camera doppia perché
   ☐ a. vuole dormire con Simone.
   ☐ b. due camere singole sono troppo care.
   ☐ c. l'albergo ha solo una camera libera.

3. Andrea spegne la luce della camera quando vanno in terrazza perché
   ☐ a. è più romantico.   ☐ b. ci sono le zanzare.
   ☐ c. c'è troppa luce.

2• Leggi le frasi e indica se le espressioni date sono sinonimi (S) o contrari (C) delle parole sottolineate.

		S	C
1 La macchina di Andrea è una vecchia Alfa Romeo rossa cabriolet.	*nuova*	☐	☐
2 Viaggiano sulle strade sopra il lago, con il vento fra i capelli.	*sotto*	☐	☐
3 Cucinano piatti semplici ma molto buoni.	*complicati*	☐	☐
4 È tutto buonissimo qui.	*molto buono*	☐	☐
5 Simone beve ancora un po' di vino bianco freddo.	*caldo*	☐	☐
6 Mi hanno detto che hanno soltanto una camera doppia.	*con due letti*	☐	☐
7 Sono stanca, è stata una giornata intensa.	*molto piena*	☐	☐
8 La villa di colore rosa è poco lontana da Varenna.	*vicina*	☐	☐

1• Scegli la risposta giusta.

1. Lucia è il nome
- ☐ a. della proprietaria del bed and breakfast.
- ☐ b. di una barca.
- ☐ c. di una villa di Como.

2. Domenica sera Andrea e Simone dormono
- ☐ a. un albergo.
- ☐ b. un agriturismo.
- ☐ c. una pensione.

3. Robert, il ragazzo di Simone
- ☐ a. è divorziato.
- ☐ b. lavora molto.
- ☐ c. vive da solo.

4. Il sogno di Andrea è di lavorare
- ☐ a. nel turismo.
- ☐ b. in uno studio di architettura.
- ☐ c. in un'agenzia pubblicitaria.

2• Completa le frasi con le preposizioni della lista.

a(x5)	con	di	di	del	dell'	in'	in	in	nel

1. Anna abita _____ Bologna ma è originaria _____ Ancona.
2. Andrea vuole lavorare _____ turismo.
3. Arrivederci, _____ domani!
4. È tardi, tutti sono andati _____ dormire.
5. Bologna è _____ Emilia Romagna.
6. Simone abita _____ Germania, _____ Stoccarda.
7. Tutti _____ scuola leggono "I promessi sposi".
8. Simone e Andrea insieme parlano _____ italiano.
9. Andrea parla _____ la proprietaria _____ agriturismo.
10. La Lucia è una barca tipica _____ lago _____ Como.

3 • Completa il cruciverba.

Orizzontali

2 Il primo pasto della giornata.
6 Prosciutto, salame, salsicce sono...
7 Un albergo... in campagna.
8 Negozio che vende dolci e torte.
9 Il contrario di 'buono'.

Verticali

1 Confettura di frutta.
3 Un uomo che sente amore per un'altra persona.
4 Il giorno dopo il venerdì.
5 Caffè con un po' di latte.

I promessi sposi

Alessandro Manzoni, scrittore e poeta, ha scritto "I promessi sposi" nella prima metà del 1800. Il suo romanzo è importante perché è il primo romanzo italiano moderno e perché con questo libro inizia la storia della lingua italiana così come la conosciamo oggi. La storia è semplice: siamo nel 1600 e due contadini, Renzo e Lucia, che vivono in un paese sul lago di Como, vogliono sposarsi. Don Rodrigo, un ricco e potente signore della zona, vuole impedire il matrimonio perché desidera Lucia. Alla fine i due giovani riescono a sposarsi, ma solo dopo molte avventure, viaggi, esperienze. Tutti gli studenti delle scuole italiane conoscono e studiano "I promessi sposi" e molte frasi e personaggi sono entrati nel linguaggio comune.

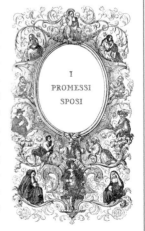

1 • Completa il dialogo con gli ausiliari (**essere** o **avere**).

	V	F
1. Lunedì pomeriggio Andrea va a lavorare.	☐	☐
2. La sera Simone aspetta Andrea all'albergo.	☐	☐
3. Simone è tornata in Germania.	☐	☐
4. Robert ha avuto un incidente in auto.	☐	☐
5. Simone ha comprato dei biscotti per Andrea.	☐	☐
6. Simone entra nella stanza di Robert.	☐	☐
7. Robert ha un figlio piccolo.	☐	☐

2 • Rimetti in ordine il dialogo.

quarto	appuntamento	cellulare	negozio

lavoro	formaggi	figura

È difficile oggi tornare al _____ . Poche ore fa ha portato Simone all'albergo e si sono dati _____ là per la sera.
Pensa alla cena che vuole preparare per lei... Vuole fare bella
_____ . Ha già comprato le verdure, il pane fresco, le olive, i
_____ ...
Finalmente arrivano le 19:30.
Esce dal _____ e va all'albergo di Simone. Sono le 19:45, ma lei non c'è. Aspetta davanti all'entrata un _____ d'ora... Ma lei non arriva. Purtroppo il suo _____ è scarico e non può controllare se ci sono mail di Simone.

3 • Rimetti in ordine il dialogo.

1 a. Mi scusi, ho un appuntamento con una vostra cliente, la signora Simone Schmidt...

☐ b. Andrea Rossi.

☐ c. Sì esatto.

☐ d. Il Suo nome, prego?

☐ e. Come? È partita?

☐ f. Un momento, prego... No, la signora non c'è, ha lasciato l'albergo questo pomeriggio.

4 • Metti le parole delle frasi nell'ordine giusto.

a. **Mi dispiace**, / a / mio / non / trovare / collega / riesco / il.
Mi dispiace, _____.

b. **Andrea** / albergo / dall'/ esce / casa / a / corre / sua / e
Andrea _____.

5 • Completa il testo con le parole della lista.

| ti | te | mi | te | ti |

Andrea, _____ dispiace moltissimo!
Non ho potuto telefonar_____, come sai ho dimenticato il mio cellulare a casa.
Devo tornare a Stoccarda, è una cosa urgente, e sono molto triste.
È stato davvero bello passare questi giorni con _____.
Scusami tanto, _____ chiamo appena possibile.

Simone
P.S. Ho lasciato una cosa per _____ alla reception dell'hotel.

1• Scegli la risposta giusta.

1. Simone

☐ a. non è felice.

☐ b. vive con Robert.

☐ c. non sta bene.

2. Andrea

☐ a. ha telefonato a Simone.

☐ b. porta il braccialetto.

☐ c. vede spesso Anna.

2• Completa il testo con i verbi al passato prossimo.

Simone non *(scrivere)* _____ più _____ ad Andrea. È triste, si sente molto stupida e non ha voglia di vedere nessuno. Neanche Andrea *(cercare)* _____ _____ Simone. *(Aspettare)* _____ _____ inutilmente un messaggio o una telefonata da parte di lei. "Peccato, però" pensa spesso Andrea "Peccato, perché con lei *(essere)* _____ _____ bello." Anna, la sua ragazza, non *(venire)* _____ più _____ a Como. Ha sempre qualcosa da fare, un esame, troppo da studiare.

3• Collega le parole in neretto con i contrari, come nell'esempio.

☐4☐ a. Simone è **triste** e non ha voglia di vedere nessuno.

☐ b. L'estate è finita, comincia il **brutto** tempo.

☐ c. I giorni sono tutti **uguali**.

☐ d. Bologna è una città **interessante**.

☐ e. Questa sera ti aspetto **davanti** alla Cattedrale.

☐ f. Andrea **chiude** gli occhi.

1. apre

2. noiosa

3. dietro

4. allegra

5. bello

6. diversi

1. • Un annuncio

1 • V:1, 3, 4; F: 2, 5 2 • a, da, in, di, per; 3 • a/4; b/1; c/2; d/5; e/3 4 • sole, doccia, caffè, negozio, settimana, colazione, annuncio

2. • Fare conoscenza

1 • 1.c; 2.a.; 3.b; 4.c 2 • a.2; b.7; c.8; d.5; e.9; f.4; *g.6*; h.3; i.1 3 • torna, apre, mette, prende, apre, mangia, accende, controlla 3 • SIMONE: studia l'italiano, ama le trofie al pesto, ha 30 anni, ama camminare, va in bicicletta; ANDREA: ama la pizza, studia il tedesco, ha 29 anni, ama nuotare, ama cucinare

3. • Un giorno nuovo

1 • V: 1, 3, 5; F: 2, 4 2 • errori, periferia, tranquilla, monumenti, ville, fortunato 3 • 1. è stata; 2. è stato; 3. è andato; 4. è andata

4. • Qualcosa non va

1 • 1.b; 2.a.; 3.b; 4.a 2 • scrivo, sono, ho visto, ho prenotato, arriva, sono, mando, Posso 3 • *il mio nuovo amico italiano* – mi hai parlato di lui... Il ragazzo che studia... – Non vedo l'ora di incontrarlo. È gentile, simpatico - ...ha detto che gli piace cucinare

5. • In viaggio

1 • V: 1, 2, 5; F:3, 4 2 • *1.b*; 2.f; 3.c; 4.e; 5.d; 6.g; 7.a 3 • a/3; b/4; c/1; d/5; e/2

6. • A Como

1 • 1.b; 2.b; 3.c; 4.a 2 • a.sul; b.alla; c.sul; d.a; e. a 3 • lontano, dritto, sinistra, attraversa, gira

7. • Al ristorante

1 • 1.c; 2.b; 3.a; 4.c 2 • ORIZZONTALI: 3 Germania; 5 albergo; 7 braccialetto; 8 passeggiata VERTICALI: 1 cameriere; 2 contorno; 4 maschile; 6 osteria 3 • voglio, passo, Andiamo, conosco, va

8. • In giro per Como

1 • V: 1, 3; F: 2, 4, 5 2 • Ha visitato, ha passeggiato, ha ammirato, ha comprato, ha finito 3 • *1.a*; 2.e; 3.d; 4.c; 5.b; 6.f 4 • portone, bacio, vestito, Allora, macchina

9. • Il fine settimana può cominciare

1 • 1.b; 2.c; 3.b; 2 • 1.C; 2.C, 3.C; 4.S; 5.C; 6.S; 7.S; 8.C

10. • A colazione

1 • 1.b; 2.b; 3.c; 4.a 2 • 1. a, di; 2. nel; 3. a; 4. a; 5. in; 6. in, a; 7. a; 8. in; 9. con, dell'; 10. del, di 3 • ORIZZONTALI: 2 colazione; 6 salumi; 7 agriturismo; 8 pasticceria; 9 cattivo VERTICALI: 1 marmellata; 3 innamorato; 4 sabato; 5 cappuccino

11. • Lunedì

1 • V: 1, 3, 5, 7; F: 2, 4, 6 2 • lavoro, appuntamento, figura, formaggi, negozio, quarto, cellulare 3 • *1.a*; 2.d; 3.b; 4.f; 5.e; 6.c 4 • a. Mi dispiace, non riesco a trovare il mio collega. b. Andrea esce dall'albergo e corre a casa sua. 5 • mi, ti, te, ti, te

12. • Autunno

1 • 1.a; 2.b 3 • ha scritto, ha cercato, Ha aspettato, è stato, è venuta 2 • *4/a*; 5/b; 6/c; 2/d; 3/e; 1/f